Basile chat de l'espace

Texte français d'Hélène Rioux

Éditions
SCHOLASTIC

Pour tous les chats que j'ai aimés

Édition publiée par les Éditions Scholastic,
604, rue King Ouest, Toronto (Ontario) M5V 1E1,
avec la permission de Kids Can Press Ltd.

5 4 3 2 1 Imprimé en Chine 09 10 11 12 13

Catalogage avant publication de Bibliothèque
et Archives Canada

Spires, Ashley, 1978-
[Binky, the space cat. Français]
Basile, chat de l'espace / Ashley Spires ;
texte français d'Hélène Rioux.

Traduction de: Binky, the space cat.
Niveau d'intérêt selon l'âge: Pour les 7-11 ans.

ISBN 978-0-545-98182-8

I. Rioux, Hélène, 1949- II. Titre.

PS8637.P57 B38 2009 jC813'.6 C2009-900855-6

Les illustrations ont été réalisées à l'encre, à l'aquarelle et aux poils de chat.

Le texte a été composé avec la police de caractères Fontoon.

Conception graphique de Karen Powers

Veuillez noter : Aucun extraterrestre, insecte ou chat de l'espace n'a souffert pendant la création de ce livre. Bon... un maringouin a peut-être été chassé avec un peu trop d'enthousiasme et une mouche à fruits s'est noyée dans des circonstances douteuses, mais c'est tout. Parole de chat de l'espace!

BASILE CHAT DE L'ESPACE

D'ASHLEY SPIRES

LA CHOSE EST ENFIN ARRIVÉE PAR LA POSTE.

IL L'ATTENDAIT DEPUIS DES SEMAINES.
criii

clic

UNE CHOSE DE CETTE IMPORTANCE EXIGE UNE TOTALE INTIMITÉ.

CLIC!

SCRAAATCH!

C.U.E.C. Chats de l'univers explorateurs du cosmos

Cher Basile,

Nous avons le plaisir de t'annoncer que tu es maintenant un chat de l'espace certifié. Tu trouveras ci-inclus tous les renseignements nécessaires pour réaliser ton merveilleux projet d'exploration du cosmos.

Les documents suivants ne s'adressent qu'aux chats de l'espace et les renseignements qu'ils contiennent sont ultraconfidentiels.

Le règlement du C.U.E.C. stipule les peines encourues, c'est-à-dire crachats et égratignures, par toute personne surprise en train de lire ces documents ultraconfidentiels.

Cordialement,

Sergent Patte de velours

Chat de l'espace
certifié

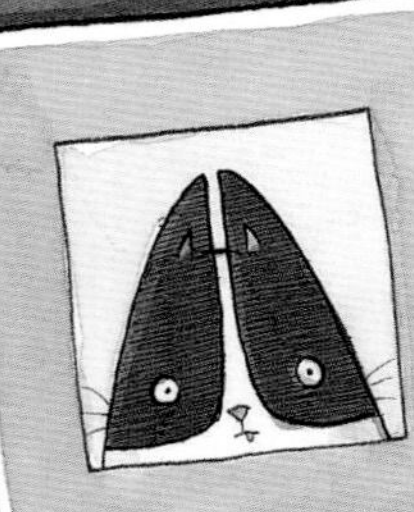

NOM : Basile
COULEUR : Noir et blanc
POIL : Ras
DATE DE NAISSANCE : 12-07-06

C.U.E.C. Chats de l'univers explorateurs du cosmos

BADGE OFFICIEL
DU CHAT
DE L'ESPACE

CONTRAIREMENT AUX CHATS ORDINAIRES...
IL A UN PROJET.

SA MISSION?
SE PROPULSER UN
JOUR DANS L'ESPACE
INTERSIDÉRAL...
VOUIIICH!

EXPLORER DES LIEUX INCONNUS...
bip bip
bip bip
ET COMBATTRE LES EXTRATERRESTRES.
MIAOU!
KSSS!
GRRR!
BONG

EN VÉRITÉ, BASILE N'EST MÊME JAMAIS SORTI DE LA MAISON.

PIT! PIT!
FLAP-FLAP
Soupir

IL HABITE ICI, DANS CETTE STATION SPATIALE, AU MILIEU DE L'ESPACE INTERSIDÉRAL.

ESPACE INTERSIDÉRAL

NE PAS TRAVERSER NE PAS
C'EST POURQUOI IL EST TOUJOURS RESTÉ À L'INTÉRIEUR.

NE PAS TRAVE
AS TRAVERSER
L'ESPACE INTERSIDÉRAL N'EST PAS UN ENDROIT SÛR POUR UN CHAT.

SI BASILE SORTAIT DEHORS SANS ÊTRE ADÉQUATEMENT PRÉPARÉ, IL SERAIT INCAPABLE DE RESPIRER.

(HABITUELLEMENT, IL N'Y A PAS D'OXYGÈNE DANS L'ESPACE INTERSIDÉRAL.)

IL SE METTRAIT À FLOTTER.

(DANS L'ESPACE INTERSIDÉRAL,
NOUS SOMMES PRESQUE TOUJOURS
EN ÉTAT D'APESANTEUR.)

BASILE HABITE AVEC UN GRAND ÊTRE HUMAIN…

UN PETIT ÊTRE HUMAIN…
ET TED, SA SOURIS.

ron-ron ron-ron ron-ron
BASILE AIME SES HUMAINS.

VOLUME 1
COMMENT S'OCCUPER DES HUMAINS.
IL S'OCCUPE TRÈS BIEN D'EUX.

IL LES ACCUEILLE À LA PORTE.

IL LES AIDE À RANGER.

IL LEUR FAIT DES MASSAGES.

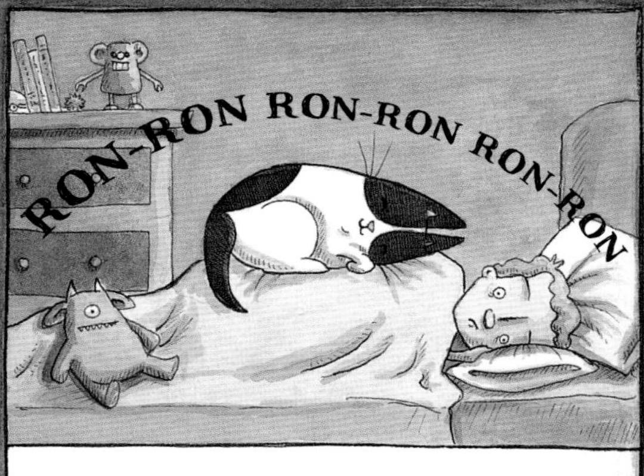

IL LEUR CHANTE DES BERCEUSES.

ET, SURTOUT, **IL LES PROTÈGE DES EXTRATERRESTRES!**

EN RETOUR, LES HUMAINS LE NOURRISSENT BIEN...
ron-ron ron-ron

PEUT-ÊTRE TROP BIEN...

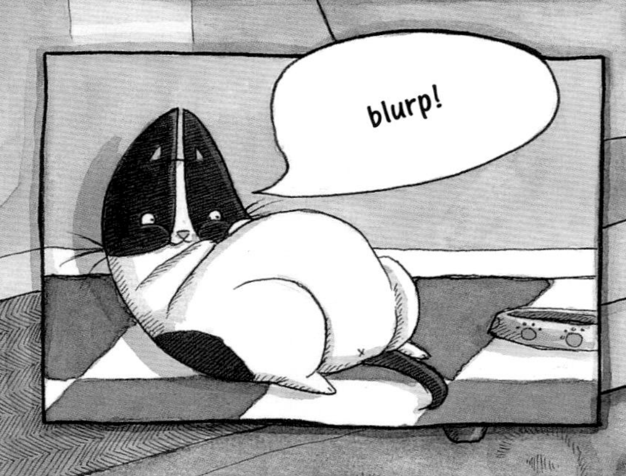
blurp!

ET ILS LUI FONT DES CÂLINS.

IL NE DOIT PAS OUBLIER DE LEUR ENVOYER UNE CARTE POSTALE DU COSMOS.
Chers humains,
Je suis dans l'espace.
Vous me manquez.
Attention aux extraterrestres.
Bisous,
Basile
Mes humains
42, boulevard Sentinelle
Spuzzum

QUAND BASILE EST ARRIVÉ AU 42, BOULEVARD SENTINELLE, IL N'ÉTAIT QU'UN CHATON.
Allons! Sors, Basile!
Viens voir ta nouvelle souris!
miaou?
miaou!
ron-ron ron-ron ron-ron

bzzzzzzzz
MALGRÉ SON JEUNE ÂGE,
IL A VITE COMPRIS...
bzzzzz
QUE LES
EXTRATERRESTRES...
ÉTAIENT...
bzzzzzz
bzzzzzz
PARTOUT!

IL SAVAIT QUE C'ÉTAIENT DES EXTRATERRESTRES PARCE QUE CES CRÉATURES POUVAIENT VOLER.

MÊME LES CHATONS SAVENT QUE LES EXTRATERRESTRES PEUVENT VOLER.

UN JOUR, BASILE A ESSAYÉ DE VOLER.

flap-flap

miiiaaaaouuu!

BOUM!

TRÈS DÉSAGRÉABLE.

BASILE A AUSSI REMARQUÉ QUE LES HUMAINS APPELAIENT LES EXTRATERRESTRES DES « INSECTES ».

?
bzzzzzzzzzzzzzz

COMME TOUT CHATON CURIEUX...
BASILE A DÉCIDÉ DE SE RENSEIGNER.

zzzzzzzzzzzzzzzzzzzzzz

CARACTÉRISTIQUES DES EXTRATERRESTRES	CARACTÉRISTIQUES DES INSECTES
- peuvent voler	- peuvent voler
- ont de gros yeux	- ont de gros yeux
- volent notre nourriture	- volent notre nourriture
- pondent des œufs	- pondent des œufs
- les espèces technologiquement avancées maîtrisent les voyages intersidéraux	- mangent des excréments

BASILE EN A TIRÉ TROIS CONCLUSIONS :

1. DE TOUTE ÉVIDENCE, LES INSECTES ET LES EXTRATERRESTRES SONT UNE SEULE ET MÊME CHOSE.

2. DOMMAGE QUE LES HUMAINS NE SOIENT PAS ASSEZ BRILLANTS POUR S'EN APERCEVOIR.

3. C'EST SÛREMENT POUR ÇA QU'ILS ONT BESOIN D'UN CHAT.

BASILE NE SAVAIT PAS DU TOUT COMMENT RÉGLER LE PROBLÈME DES EXTRATERRESTRES.

APRÈS TOUT, IL N'ÉTAIT QU'UN CHATON.

IL A ESSAYÉ QUELQUES TRUCS, MAIS SANS SUCCÈS.

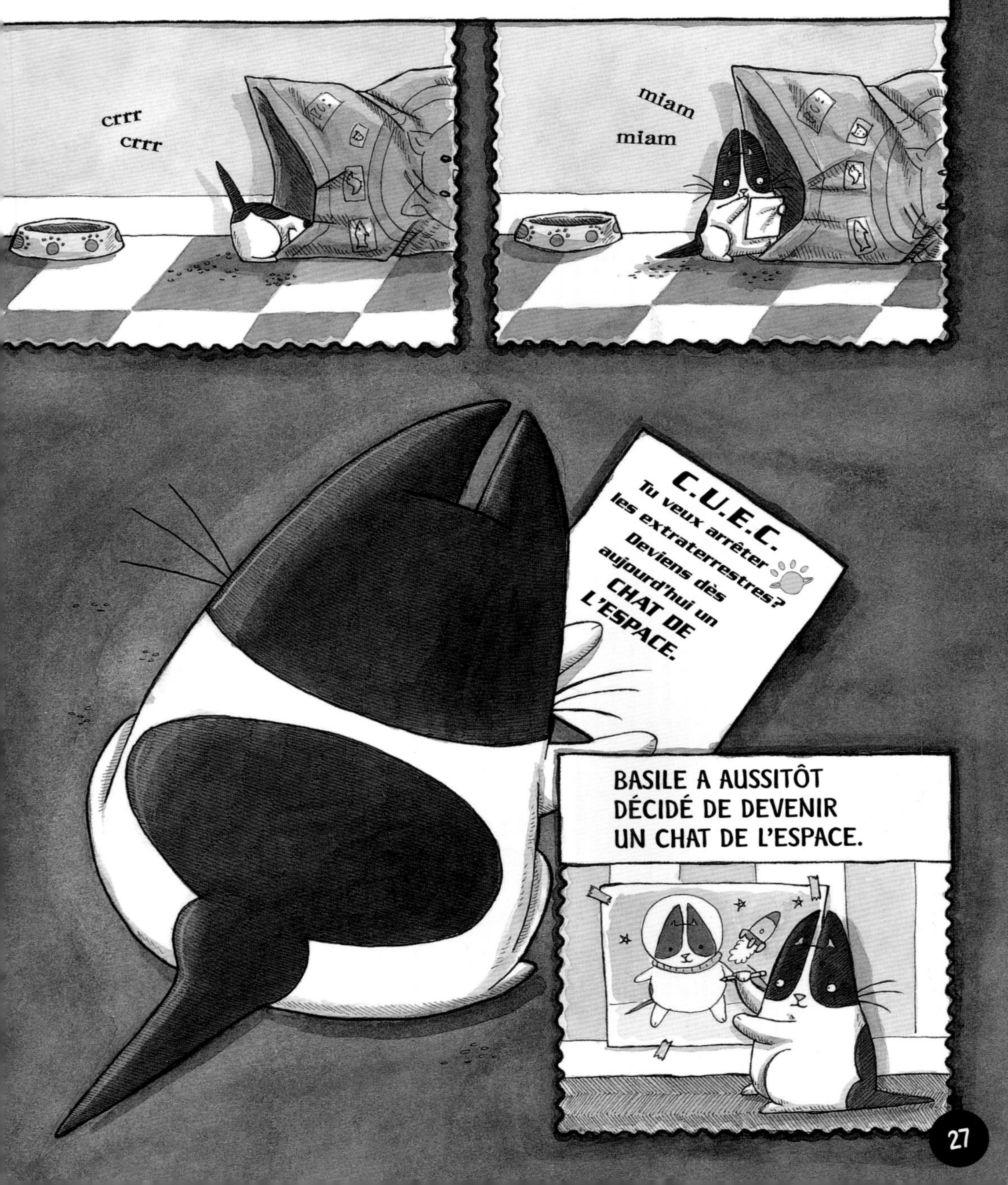
PUIS, UN JOUR, IL A TROUVÉ QUELQUE CHOSE AU FOND DE SON SAC DE CROQUETTES.
crrr
crrr
miam
miam
C.U.E.C.
Tu veux arrêter les extraterrestres?
Deviens dès aujourd'hui un
CHAT DE L'ESPACE.
BASILE A AUSSITÔT DÉCIDÉ DE DEVENIR UN CHAT DE L'ESPACE.

LES HUMAINS DE BASILE IGNORENT QU'IL EST MAINTENANT UN VRAI CHAT DE L'ESPACE...

QUI LES PROTÈGE DES ENVAHISSEURS EXTRATERRESTRES.

(COMME ON L'A DIT PLUS TÔT, ILS NE SONT PAS TRÈS BRILLANTS.)

IL EST IMPÉRATIF QUE SON IDENTITÉ DEMEURE SECRÈTE.
oups!
SI L'UN DE CES ESPIONS EXTRA-TERRESTRES DÉCOUVRAIT...
bzzz bzzz bzzz chat de l'espace bzzz bzzz
QUI IL EST RÉELLEMENT...
bzzzzz bzzzzzzzzz bzzzzzzz bzzzzz
MIAOU!!!
LES EXTRATERRESTRES POURRAIENT MONTER UNE ATTAQUE...
bzzzzzzzz
QUE MÊME UN CHAT DE L'ESPACE CERTIFIÉ COMME BASILE NE POURRAIT ARRÊTER.
han!

ET QUE SE PASSERAIT-IL?
SES HUMAINS ET LUI SERAIENT RÉDUITS À L'ESCLAVAGE PAR LES ENVAHISSEURS VOLANTS ET FORCÉS DE FAIRE DES CHOSES HORRIBLES...

BEURK!
Nooon!
OUACHE!
COMME MANGER DES LÉGUMES...
VRRRRRRRRRRR
OU RESTER DANS LA MÊME PIÈCE QUE L'ASPIRATEUR...

bzzzzzz
bzzzzzz
OU ENDURER L'ODEUR DE LA LITIÈRE SALE!
RIEN QUE D'Y PENSER, ÇA DONNE LA CHAIR DE POULE!

AFIN D'ÉVITER CE GENRE D'INVASION EXTRATERRESTRE...

BASILE PATROUILLE DANS LE PÉRIMÈTRE.

IL ÉLIMINE LES EXTRATERRESTRES ASSEZ TÉMÉRAIRES...

POUR PÉNÉTRER DANS **SA** STATION SPATIALE.

GLOUP!

POUR RÉSISTER AUX ATTAQUES D'EXTRATERRESTRES, UN BON CHAT DE L'ESPACE DOIT S'ENTRAÎNER CONSTAMMENT.

BASILE S'ENTRAÎNE AVEC BEAUCOUP D'ARDEUR.

IL PEUT DÉSORIENTER...

DÉPASSER...

ET DÉJOUER TOUS LES EXTRATERRESTRES QUI CROISENT SON CHEMIN.

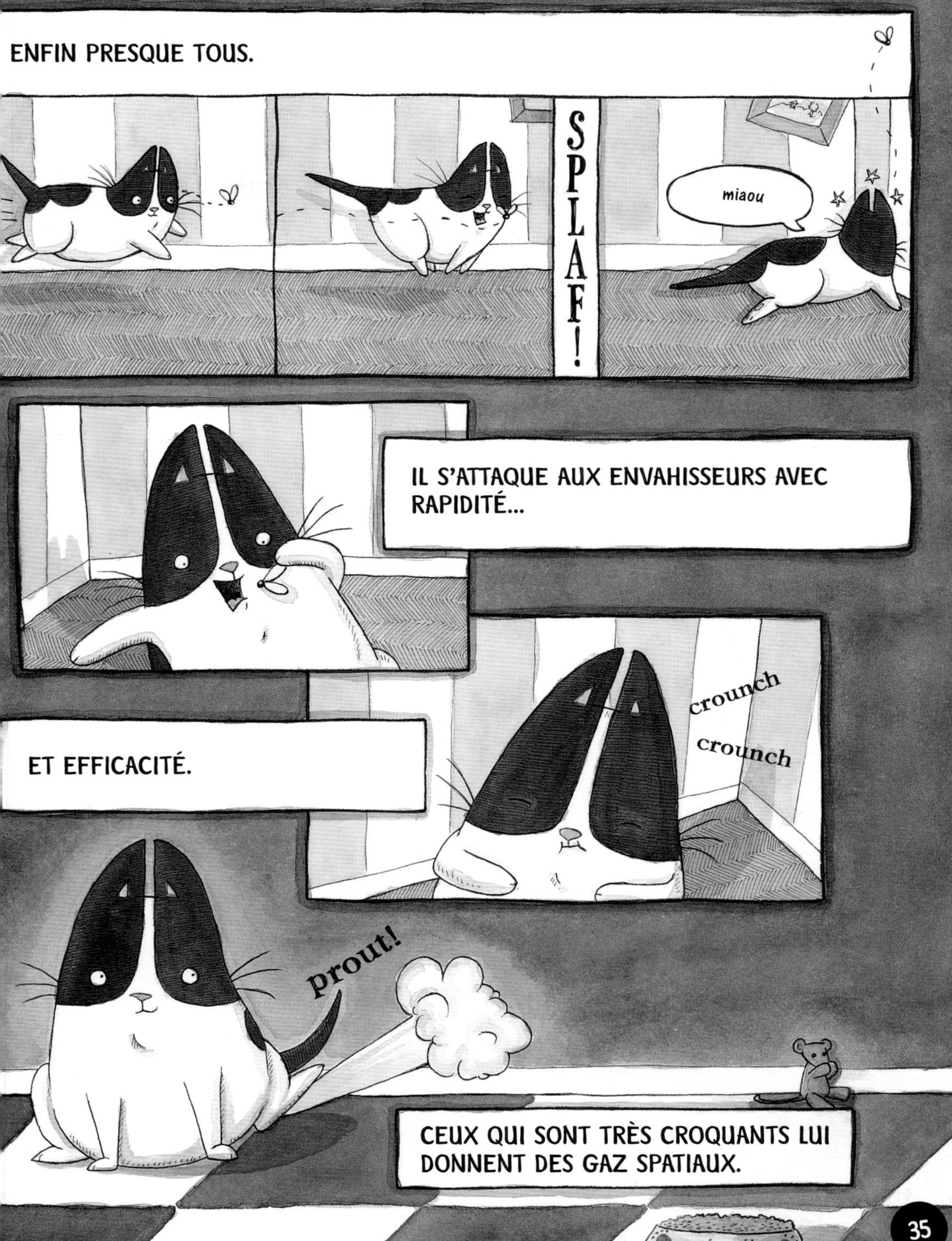
ENFIN PRESQUE TOUS.
SPLAF!
miaou
IL S'ATTAQUE AUX ENVAHISSEURS AVEC RAPIDITÉ...
ET EFFICACITÉ.
crounch
crounch
prout!
CEUX QUI SONT TRÈS CROQUANTS LUI DONNENT DES GAZ SPATIAUX.

BASILE SAIT QUE POUR VOYAGER DANS L'ESPACE, IL FAUT AVOIR UN VAISSEAU SPATIAL...

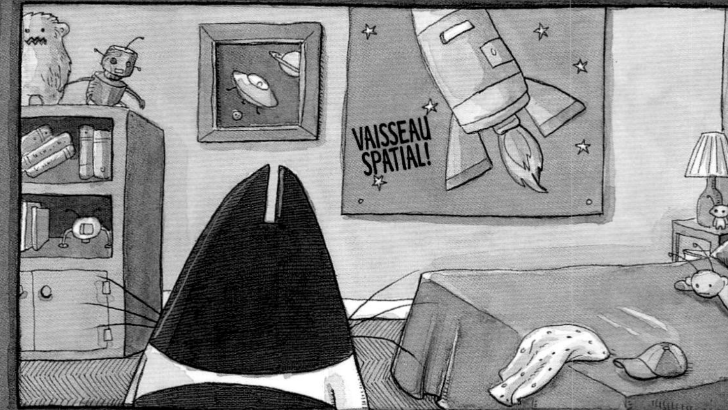

OU, AU MOINS, UNE COMBINAISON D'ASTRONAUTE.

IL A VU SES HUMAINS REVÊTIR LEURS COMBINAISONS CHAQUE FOIS QU'ILS SORTAIENT DE LA MAISON.

BASILE S'INQUIÈTE DE SES HUMAINS...
DEHORS, TOUT SEULS...
AAAAAAAAAAAAHH!
MIAOU!
SANS CHAT DE L'ESPACE POUR LES PROTÉGER.

UN JOUR, ESPÉRANT LES ACCOMPAGNER, IL A ESSAYÉ UNE DE LEURS COMBINAISONS SPATIALES.

oups

MIAOU!
boum!

BADA BOUM!
ÉCHEC TOTAL.

COMME IL N'A PAS DE COMBINAISON SPATIALE...

BASILE N'A PAS LE CHOIX...
slurp
slurp
ZIIIP!
IL DOIT CONSTRUIRE SON PROPRE VAISSEAU SPATIAL!

VAISSEAU SPATIAL
PLAN
Trousse du CHAT DE L'ESPACE débutant
HEUREUSEMENT, LA TROUSSE DU CHAT DE L'ESPACE DÉBUTANT CONTIENT LE PLAN DÉTAILLÉ D'UN VAISSEAU SPATIAL.
C.U.E.C.
Maintenant que tu es un chat de l'espace, que dois-tu faire?
CHAPITRE 3 : Comment construire un vaisseau spatial avec des choses que tu peux voler à tes humains.

LE JOUR...
OU LA NUIT...
CHAQUE FOIS QUE BASILE PEUT S'ÉCHAPPER SANS SE FAIRE REMARQUER...
prout!
IL VA TRAVAILLER À LA CONSTRUCTION DE SON VAISSEAU SPATIAL.
ULTRASECRET
Interdit aux humains ET SURTOUT AUX EXTRA-TERRESTRES!

CERTAINS OBJETS SONT PLUS FACILES À TROUVER QUE D'AUTRES...

MAIS BASILE PARVIENT À RASSEMBLER TOUTES LES COMPOSANTES NÉCESSAIRES.

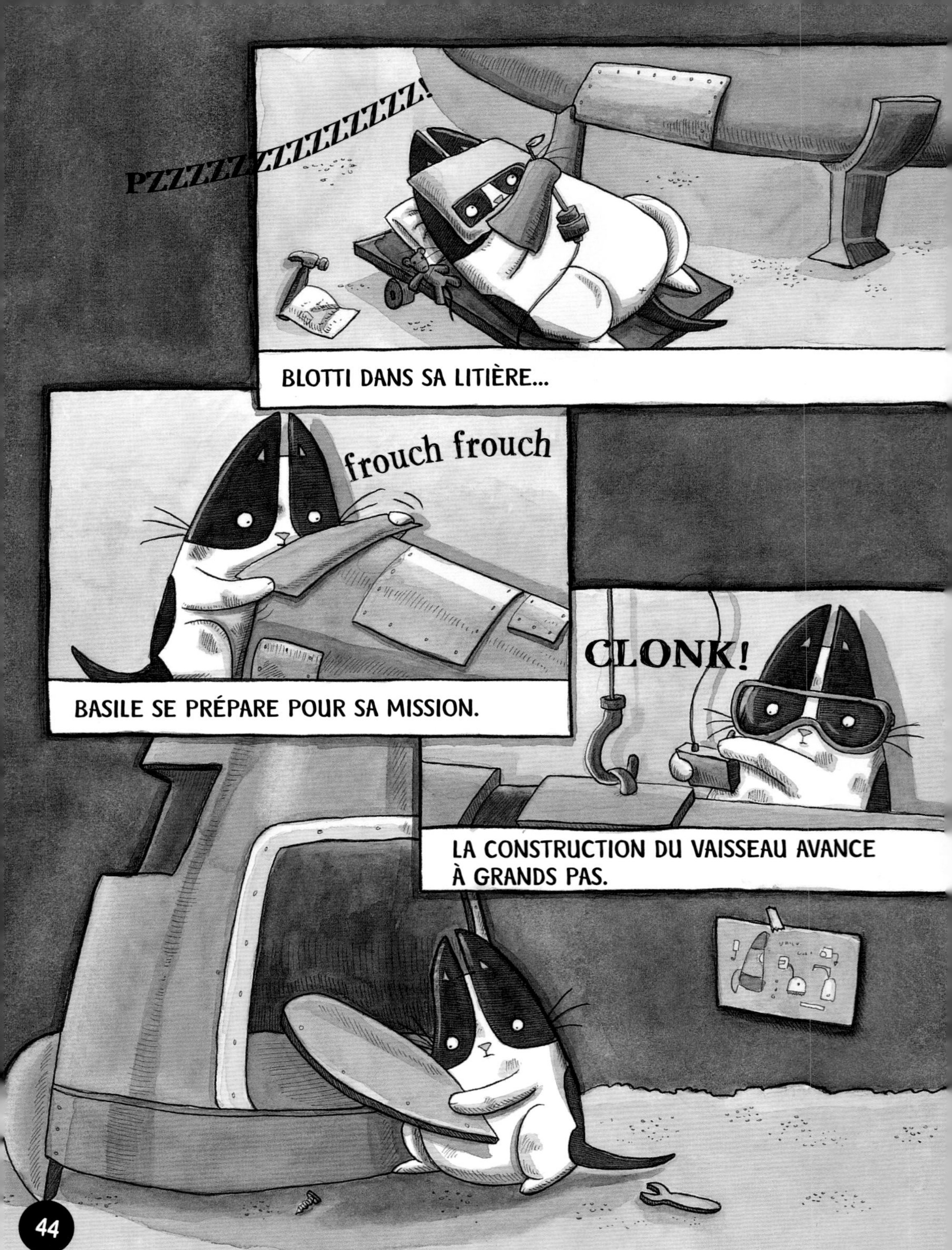
PZZZZZZZZZZZZZZZZ!
BLOTTI DANS SA LITIÈRE...
frouch frouch
BASILE SE PRÉPARE POUR SA MISSION.
CLONK!
LA CONSTRUCTION DU VAISSEAU AVANCE
À GRANDS PAS.

MAIS IL DOIT FAIRE ATTENTION.

L'ENNEMI LE SURVEILLE SANS RELÂCHE.

POUR BASILE, LE MOMENT EST VENU DE S'ENTRAÎNER À VOYAGER DANS L'ESPACE.

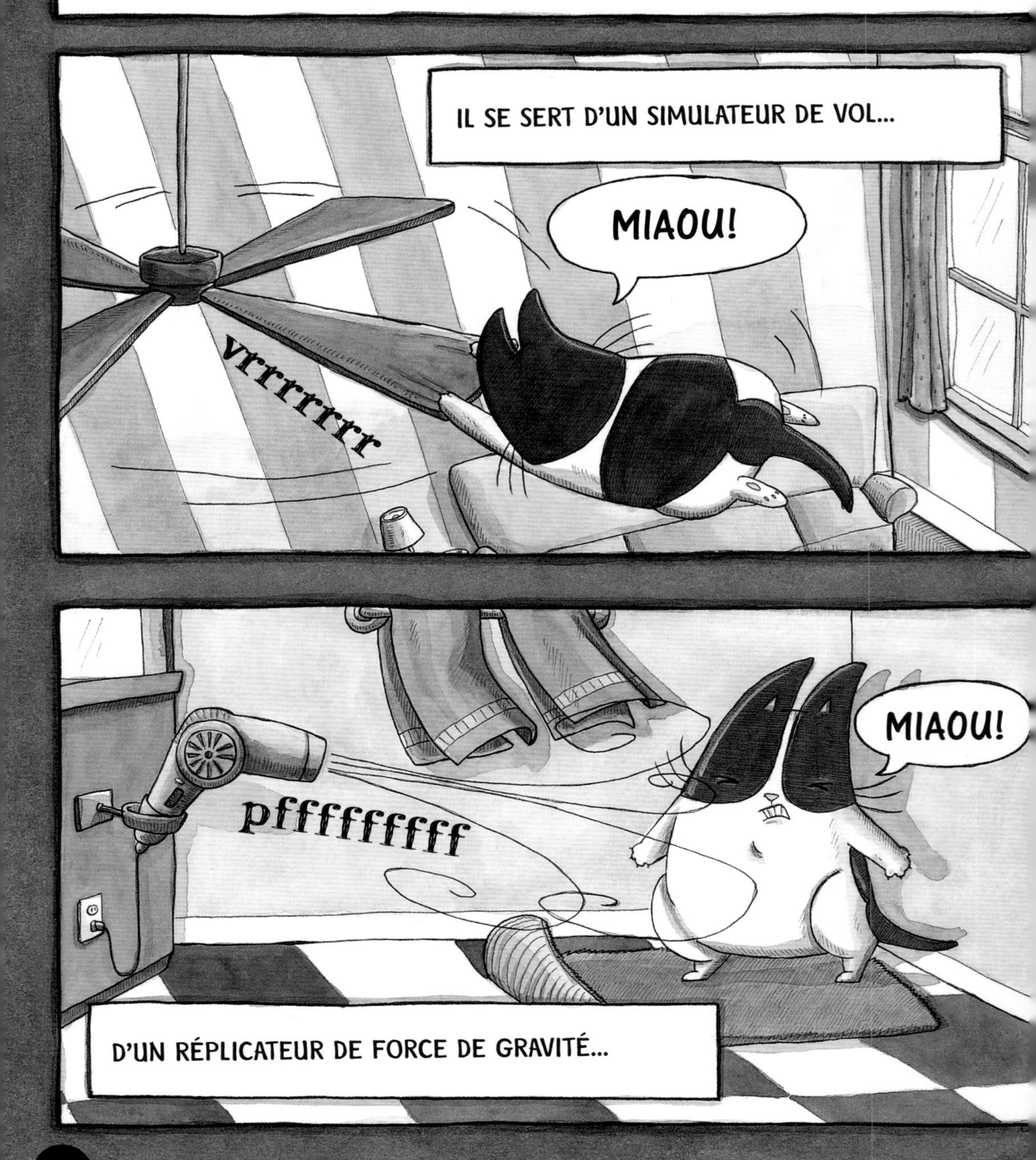

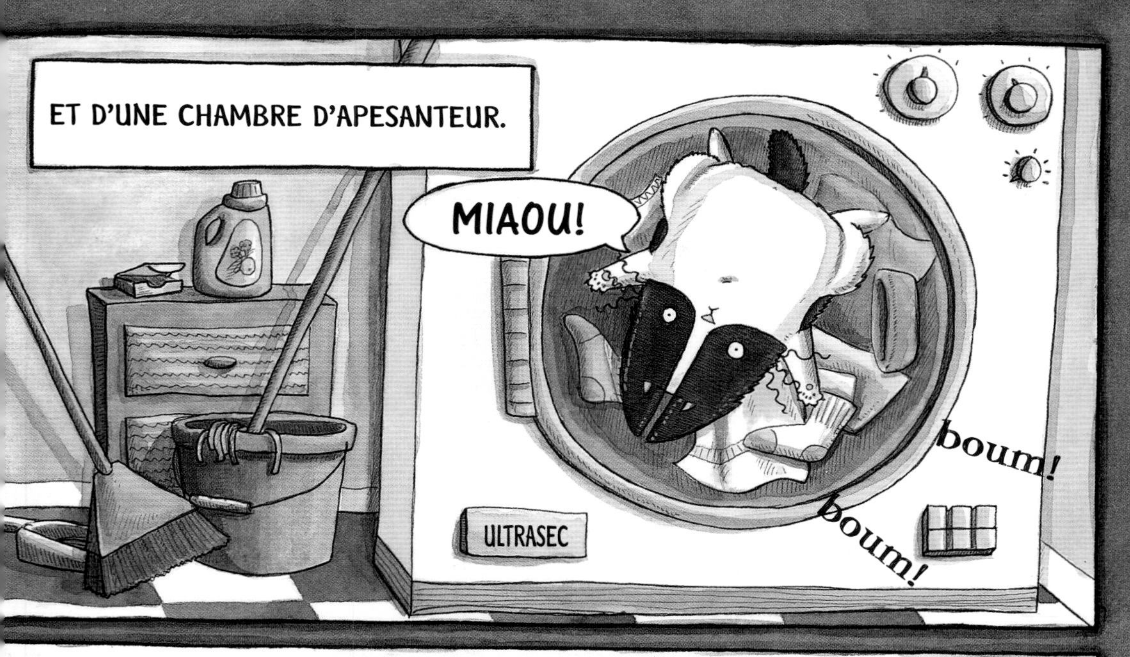

AVERTISSEMENT : BASILE EST UN CHAT DE L'ESPACE AYANT REÇU UNE FORMATION. LES CHATS ET LES HUMAINS NE DOIVENT JAMAIS ENTRER DANS LA SÉCHEUSE. JAMAIS!

L'ENTRAÎNEMENT DU CHAT DE L'ESPACE N'EST PAS FACILE.

IL PROVOQUE SOUVENT DES BOULES DE POILS.

BASILE S'ENTRAÎNE DONC...

ET CONSTRUIT...

ET SE BAT...

ET CÂLINE...

ET S'ENTRAÎNE...

ET CONSTRUIT...

slurp
ET SE LAVE...

kssssssss
ET SE BAT...

tap
tap
ET CONSTRUIT...

zzzzzzzzzzzzz
ET FAIT DODO...

prout!
ET S'ENTRAÎNE...

HÉ!
JUSQU'AU JOUR OÙ, ENFIN...

SON VAISSEAU SPATIAL EST TERMINÉ!

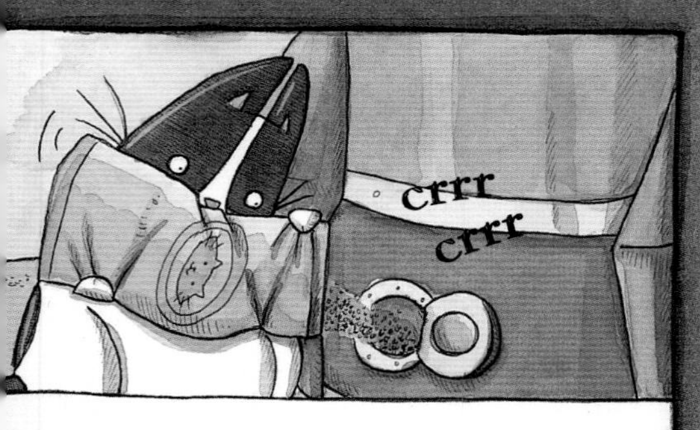

AVEC UN PEU DE CARBURANT...

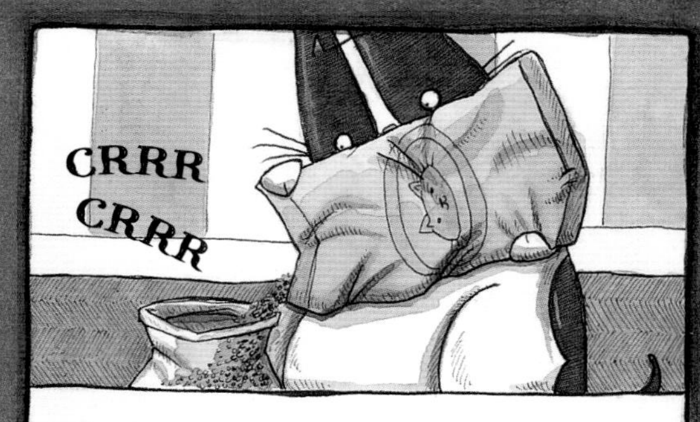

UN CASSE-CROÛTE...

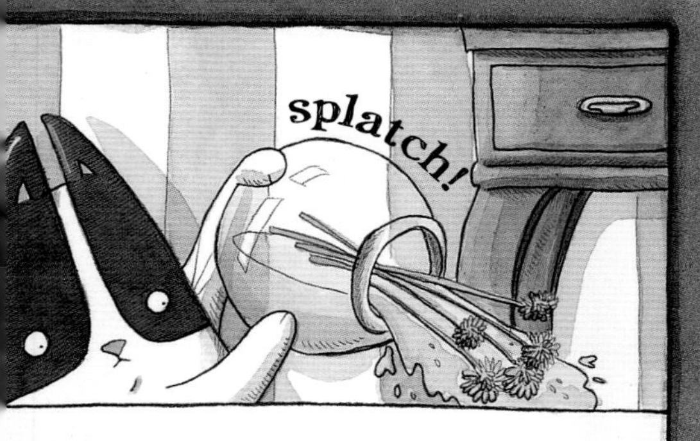

SON CASQUE D'ASTRONAUTE...

ET SON FIDÈLE COPILOTE...

BASILE EST **ENFIN** PRÊT À EXPLORER L'**ESPACE!**

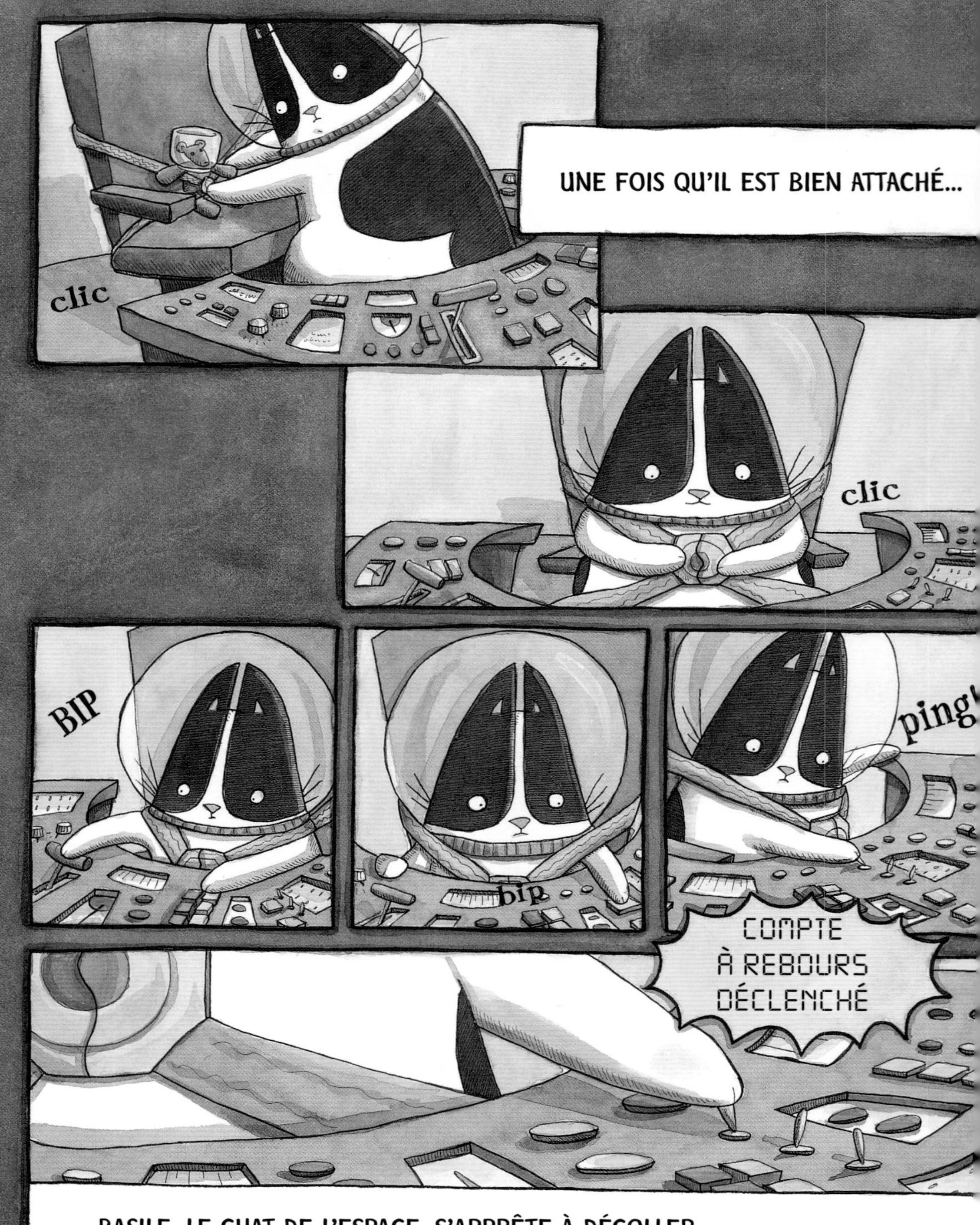
UNE FOIS QU'IL EST BIEN ATTACHÉ...
clic
clic
BIP
bip
ping!
COMPTE À REBOURS DÉCLENCHÉ
BASILE, LE CHAT DE L'ESPACE, S'APPRÊTE À DÉCOLLER.

TOUT EST EN PLACE, BASILE EST SUR LE POINT DE VIVRE UNE AVENTURE UNIQUE.

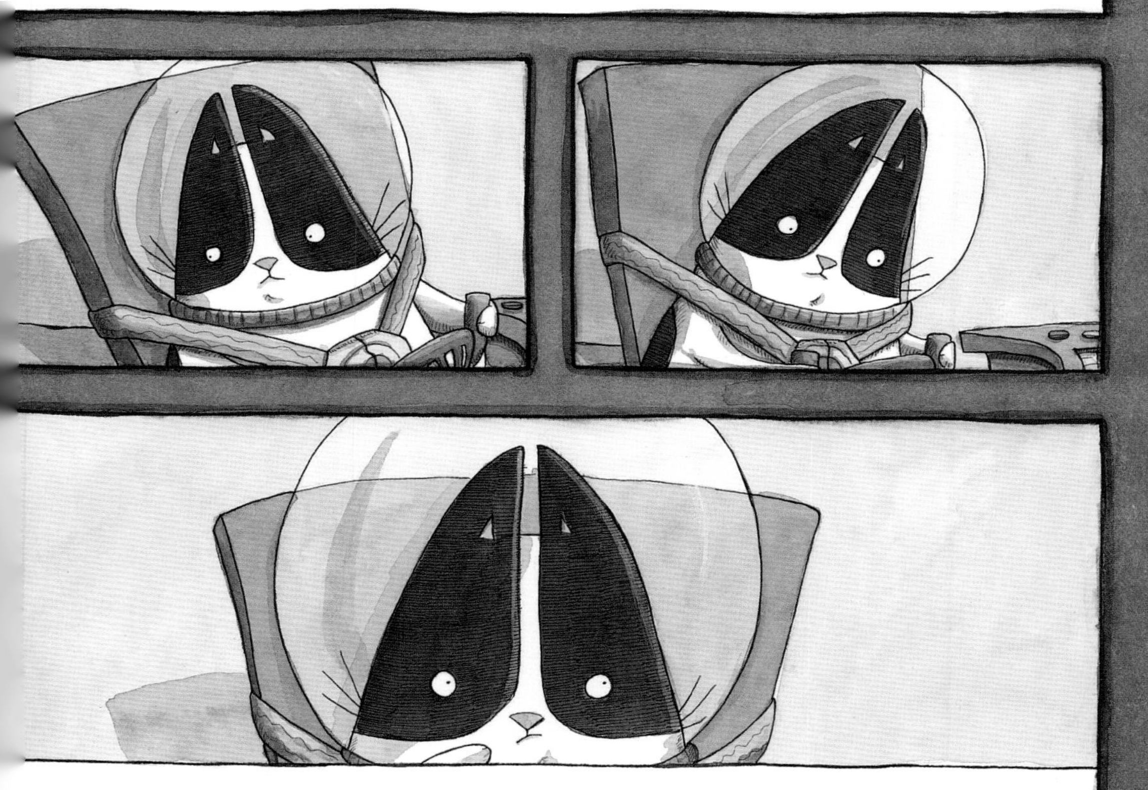

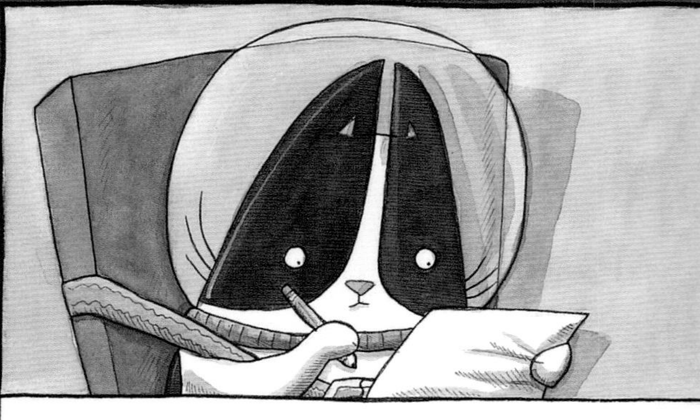

IL EST SÛR DE N'AVOIR RIEN OUBLIÉ.

C.U.E.C.

- ☑ casque d'astronaute
- ☑ casse-croûte
- ☑ copilote
- ☑ guide planétaire
- ☑ gants pour combattre les extraterrestres
- ☑ litière adaptée à l'apesanteur

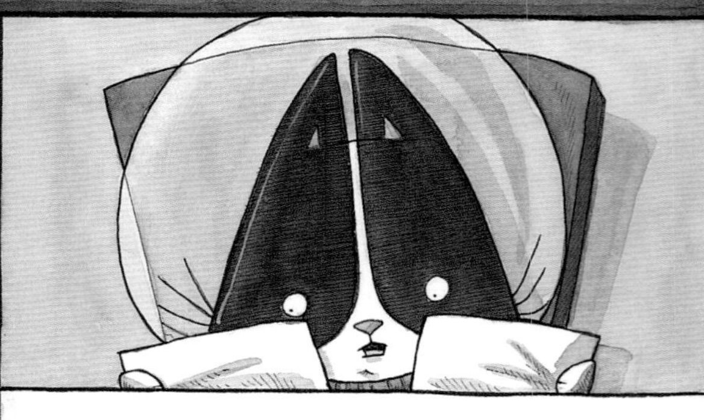

MAIS IL CONSTATE...

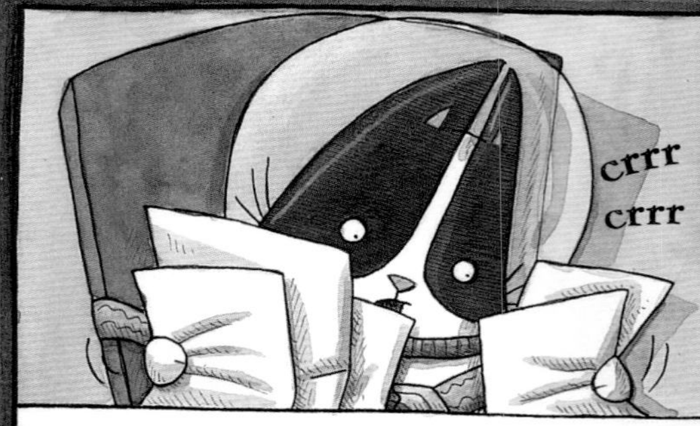

QUE QUELQUE CHOSE DE TRÈS IMPORTANT N'EST **PAS** INSCRIT SUR SA LISTE.

LA CHOSE LA PLUS IMPORTANTE DE TOUTES...

3

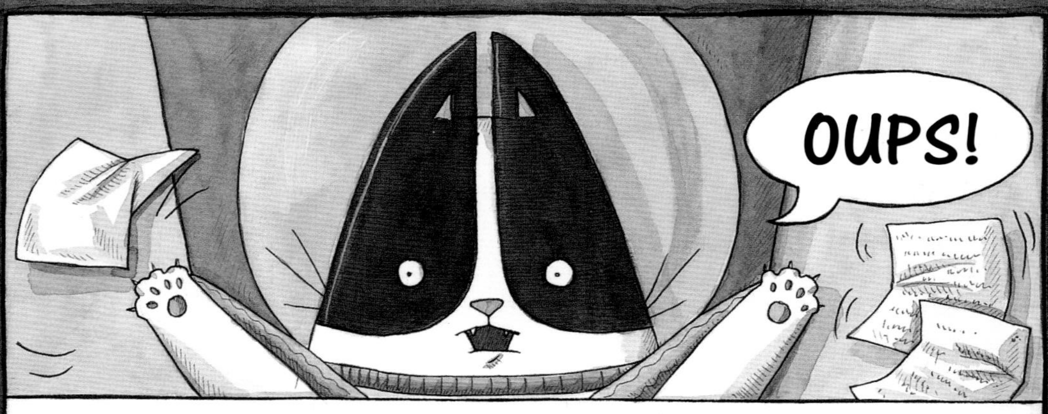
OUPS!
SES HUMAINS!!!

QUI LES PROTÉGERA DES EXTRATERRESTRES?

IL SERAIT UN ABOMINABLE CHAT DE L'ESPACE S'IL ABANDONNAIT SES HUMAINS!

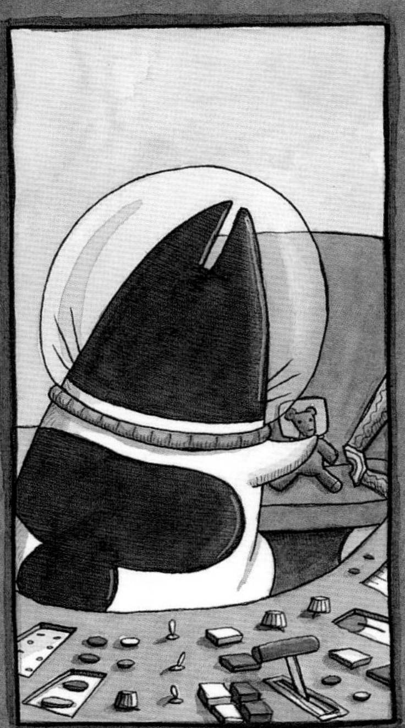

BASILE SAIT QU'IL N'Y A QU'UNE CHOSE À FAIRE...

1
PSSSSCHCHCH!

BOUM!

ADABOUM!

TOUS LES RÊVES D'AVENTURE **INTERSIDÉRALE** DE BASILE SE SONT ENVOLÉS PAR LA FENÊTRE.

PLUS D'EXPLORATION DE MONDES INCONNUS.

PLUS DE CHASSE AUX EXTRATERRESTRES.

PLUS DE BASILE, EXTRAORDINAIRE CHAT DE L'ESPACE.

bzzzzzzzzz
AU SECOURS!!

bzzzzzzzzzzzzz
AAAAAAAAAAAAAH

GLOUP!

critch
crounch
Heureusement que tu étais là, Basile!
BASILE A MANIFESTEMENT FAIT LE BON CHOIX.

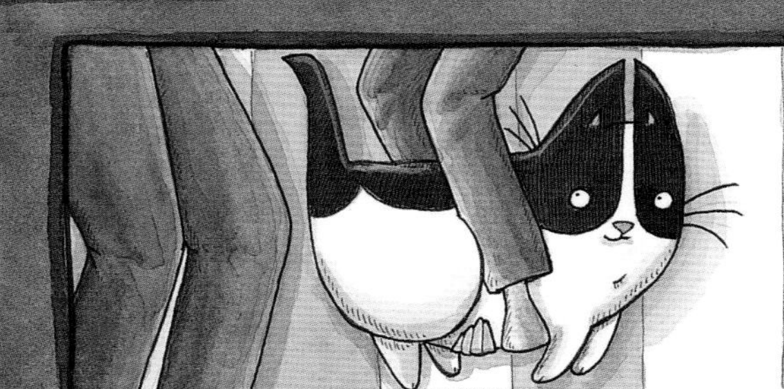
Viens ici, brave petit minou!
SANS LUI, SES HUMAINS SONT COMPLÈTEMENT DÉMUNIS.

ET PUIS, DANS L'ESPACE INTERSIDÉRAL, QUI LE CARESSERAIT?
RON-RON RON-RON RON-RON

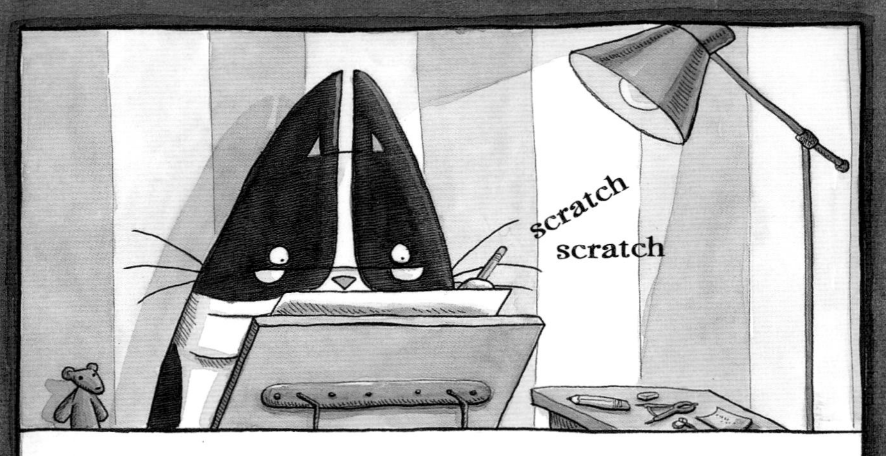

BASILE A APPRIS QUELQUE CHOSE DE TRÈS IMPORTANT...